TREMBLEMENTS DE TERRE

Leïla Haddad

Illustrations de Vincent Jagerschmidt

MILAN
jeunesse

Comment utiliser ton carnet

Ton carnet a été conçu pour que tu puisses t'en servir directement sur le terrain : grâce à son petit format, tu peux le glisser facilement dans ta poche ou dans ton sac à dos, et l'avoir ainsi toujours avec toi lors de tes balades-découvertes.

L'index te permettra de retrouver rapidement l'information de ton choix.

● un texte qui explique, en détail, les phénomènes observés, les mouvements des plaques, l'apparition des failles, l'importance des dégâts...

Leurs victimes se comptent par milliers. En quelques secondes, ils peuvent réduire en miettes des villes entières. Catastrophiques pour l'homme, les tremblements de terre sont des phénomènes tout à fait naturels. Ils sont l'œuvre des puissantes forces de la Terre, capables de déplacer des continents entiers !

● des informations sur les recherches et le travail des hommes pour prévoir les tremblements de terre et limiter la casse ;

Sommaire

Un grand frisson	4	La tectonique des plaques	18
Une longue histoire	6	Une croûte torturée	20
L'écorce de la Terre	8	Le jour où la terre tremble	22
Une vraie casse... croûte !	10	L'échelle de Richter	24
Naissance d'un tremblement de terre	12	La prévision des séismes	26
La tempête sismique	14	Éviter la catastrophe	28
Allô, allô ! Ici l'onde...	16	Index	30

Il existe plusieurs types de séismes.
Ton carnet t'apprendra à les différencier,
à comprendre les phénomènes qui les
provoquent et à évaluer leurs conséquences.

Chaque double page te présente :

● des **encadrés** qui te donnent
des informations supplémentaires ;

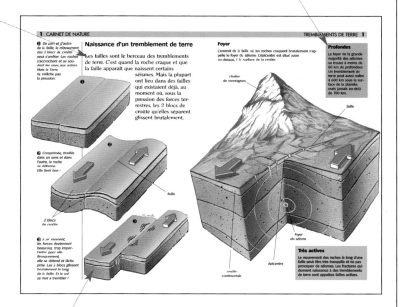

Naissance d'un tremblement de terre

Les failles sont le berceau des tremblements de terre. C'est quand la roche craque et que la faille apparaît que naissent certains séismes. Mais la plupart ont lieu dans des failles qui existaient déjà, au moment où, sous la pression des forces terrestres, les 2 blocs de croûte qu'elles séparent glissent brutalement.

❶ De part et d'autre de la faille, le mouvement des 2 blocs de croûte peut s'arrêter. Les roches s'accrochent et se soudent les unes aux autres. Mais la Terre ne relâche pas la pression.

❷ Comprimée, tiraillée dans un sens et dans l'autre, la roche se déforme. Elle tient bon !

❸ À un moment, les forces deviennent beaucoup trop importantes pour elle. Brusquement, elle se détend et lâche prise. Les 2 blocs glissent brutalement le long de la faille. Et le sol se met à trembler !

faille

2 blocs de croûte

Foyer

L'endroit de la faille où les roches craquent brutalement s'appelle le foyer du séisme. L'épicentre est situé juste au-dessus, à la surface de la croûte.

Profondes

Le foyer de la grande majorité des séismes se trouve à moins de 60 km de profondeur. Un tremblement de terre peut aussi naître à 600 km sous la surface de la planète, mais jamais au-delà de 700 km.

chaîne de montagnes

faille

foyer du séisme

épicentre

croûte continentale

Très actives

Le mouvement des roches le long d'une faille peut être très tranquille et ne pas provoquer de séismes. Les fractures qui donnent naissance à des tremblements de terre sont appelées failles actives.

● des schémas légendés
qui t'aident à comprendre
les phénomènes ;

● des exemples
de séismes célèbres.

Secouer

Le nom savant pour désigner les tremblements de terre est séisme. Il vient du mot grec *seismos* qui veut dire secousse.

Jamais seul

Un séisme est toujours suivi de plusieurs autres secousses, appelées répliques. En 1980, un violent tremblement de terre a eu lieu à El-Asnam, en Algérie. Pendant 6 mois, 6 000 répliques lui ont succédé dans la région.

Un grand frisson

Ta maison, ton école, ta ville sont construites sur un grand tapis de roches. De temps en temps, il se met à bouger, comme s'il avait été secoué par d'immenses mains invisibles. Et là, patatras ! Les secousses font tout dégringoler ! C'est un tremblement de terre.

Où ?

Aucune région du monde n'est à l'abri d'un tremblement de terre. Mais certains endroits sont plus exposés au danger que d'autres. Les séismes sont beaucoup plus fréquents et violents au Japon, en Chine, en Iran ou au Mexique qu'en France, au centre de l'Afrique ou au Brésil.

Meurtriers

Depuis l'an 1600, les tremblements de terre ont tué près de trois millions de personnes. La Chine et le Japon détiennent le triste record du plus grand nombre de victimes.

Rapides

Un séisme ne dure pas très longtemps : entre 15 secondes et quelques minutes.

Nombreux

La terre tremble un million de fois par an. Soit toutes les 30 secondes environ. La plupart de ces séismes sont minuscules et passent complètement inaperçus.

Artificiels

Les hommes peuvent aussi provoquer des tremblements de terre. En Inde, en 1967, un séisme a été provoqué par le remplissage d'un barrage. Bilan : 177 morts !

Le recensement

Les Mainas, un peuple ancien du Pérou, pensaient que les secousses étaient provoquées par les pas lourds de leur dieu, venu les recenser. Pour lui faciliter la tâche, ils sortaient en courant et en criant : « Je suis là ! »

Une longue histoire

L'humanité entretient une longue histoire avec les tremblements de terre.
Ils détruisent les villes et les villages depuis des siècles et des siècles !
Et pendant très longtemps, les hommes ont cru que les séismes étaient déclenchés par des dieux.

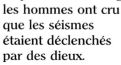

Le poisson-chat

Les Japonais croyaient que les tremblements de terre étaient dus à un poisson-chat géant, appelé Namazu. Il vivait dans les entrailles de la Terre. À chaque fois qu'il se tortillait, il la faisait trembler.

À dos d'animaux

Pour les Indiens algonquins, en Amérique du Nord, la Terre était portée par une tortue. À chacun de ses pas, le sol se mettait à trembler. En Mongolie, les gens pensaient que notre planète reposait sur le dos d'une grenouille bondissante.

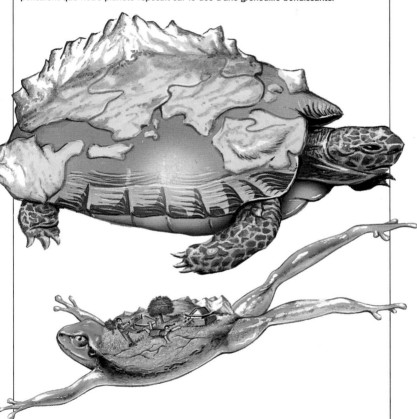

Idées fausses

Les hommes ont mis beaucoup de temps à comprendre comment naissent les tremblements de terre. Au xviiie siècle, des savants très sérieux prétendaient qu'ils étaient produits par des décharges électriques entre la terre et le ciel !

Record historique

Le séisme le plus meurtrier de l'histoire a eu lieu en Chine, en 1556. Le nombre de victimes a été estimé à 830 000, 2 fois la population de la ville de Lyon.

L'écorce de la Terre

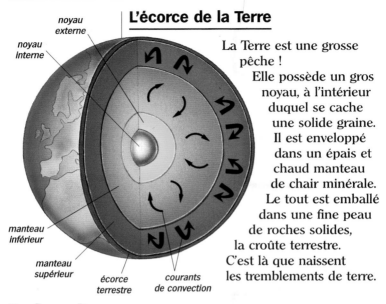

noyau externe

noyau interne

manteau inférieur

manteau supérieur

écorce terrestre

courants de convection

La Terre est une grosse pêche !
Elle possède un gros noyau, à l'intérieur duquel se cache une solide graine. Il est enveloppé dans un épais et chaud manteau de chair minérale. Le tout est emballé dans une fine peau de roches solides, la croûte terrestre. C'est là que naissent les tremblements de terre.

Une fine croûte

L'armure de cailloux qui protège la Terre n'est pas très épaisse : elle ne fait que 10 km d'épaisseur en moyenne sous les océans, et elle oscille entre 30 et 70 km au niveau des continents. Elle repose sur un socle rigide, appelé lithosphère, sous lequel se trouve le manteau qui est fluide. Le manteau est parcouru de courants de convection qui entraînent les plaques.

La croûte océanique a été fabriquée par les volcans sous-marins. Elle est essentiellement formée de basalte.

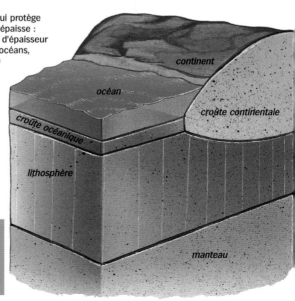

continent

océan

croûte continentale

croûte océanique

lithosphère

manteau

Les roches des continents

Les continents sont constitués de différentes sortes de roches. Certaines se sont formées au fond de l'eau, d'autres ont jailli de la gueule fumante des volcans. Beaucoup ont grandi bien à l'abri, à l'intérieur de la croûte.

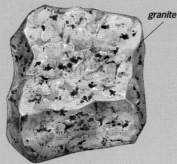

granite

basalte

Les roches plutoniques se forment lorsqu'une bulle de magma, une soupe de minéraux très chaude, reste coincée à l'intérieur de la croûte. Elle refroidit et se transforme en un tas de cailloux bien solides, comme le granite.

Les roches volcaniques proviennent du refroidissement de la lave recrachée par les volcans. Le basalte est la plus répandue d'entre elles.

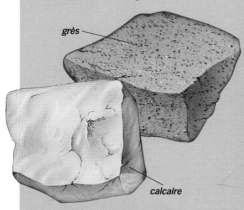

grès

calcaire

schiste

Le vent et la pluie arrachent de minuscules fragments aux roches plutoniques et volcaniques qui sont à l'air libre. Ils se déposent au fond des lacs, des rivières et des mers, où ils donnent naissance aux roches sédimentaires. Le grès et le calcaire en font partie.

Lorsqu'elles sont très fortement comprimées et chauffées, les roches se métamorphosent. L'argile par exemple se change en schiste, et le calcaire devient du marbre. Ce sont des roches métamorphiques.

Elle la tord...

La croûte terrestre ressemble parfois à une chemise mal repassée ! Des plis rocheux apparaissent sur les flancs des montagnes ou le long des falaises. Il y en a de toutes les tailles et de toutes les formes.

Une vraie casse... croûte !

As-tu déjà essayé de casser une brique de granite ou de plier une barre de calcaire ? C'est un jeu d'enfant pour la Terre ! Observe bien le paysage en montagne ou les falaises en bord de mer. C'est fou ce que notre planète arrive à faire avec sa croûte !

... et elle la casse !

La Terre ne se contente pas de jouer à l'accordéon avec sa croûte. Elle lui inflige de longues et profondes blessures rectilignes, appelées failles. Les blocs de roches peuvent glisser le long de ces fractures, et se décaler les uns par rapport aux autres.

Mise en plis

Prends une barre de caramel
et pousse sur ses 2 extrémités.
Elle ne te résiste pas longtemps
et elle se plie. Lorsqu'elles
sont comprimées, les roches
les plus tendres, comme l'argile
ou le calcaire, se plissent.

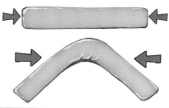

Fractures à gogo

❶ *Une barre de chocolat est plus dure
que celle en caramel. Quand tu pousses
sur ses 2 bouts, tu la casses au lieu de la
plier. Les roches rigides comme le granite
se fracturent quand elles sont
comprimées.*

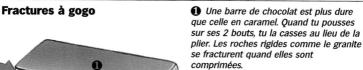

❷ *Prises entre 2 mouvements
de sens contraire, les roches
se cassent. Encore
une faille !*

❸ *Quand tu tires sur ta barre de
caramel, elle s'étire, s'étire... et se brise.
Étirée, la croûte résiste. Mais elle finit
toujours par se déchirer.*

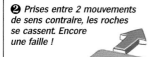

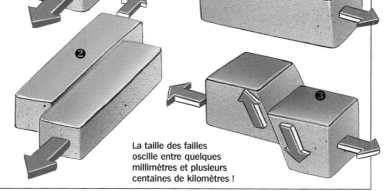

La taille des failles
oscille entre quelques
millimètres et plusieurs
centaines de kilomètres !

Naissance d'un tremblement de terre

Les failles sont le berceau des tremblements de terre. C'est quand la roche craque et que la faille apparaît que naissent certains séismes. Mais la plupart ont lieu dans des failles qui existaient déjà, au moment où, sous la pression des forces terrestres, les 2 blocs de croûte qu'elles séparent glissent brutalement.

❶ De part et d'autre de la faille, le mouvement des 2 blocs de croûte peut s'arrêter. Les roches s'accrochent et se soudent les unes aux autres. Mais la Terre ne relâche pas la pression.

❷ Comprimée, tiraillée dans un sens et dans l'autre, la roche se déforme. Elle tient bon !

faille

2 blocs de croûte

❸ À un moment, les forces deviennent beaucoup trop importantes pour elle. Brusquement, elle se détend et lâche prise. Les 2 blocs glissent brutalement le long de la faille. Et le sol se met à trembler !

Foyer

L'endroit de la faille où les roches craquent brutalement s'appelle le foyer du séisme. L'épicentre est situé juste au-dessus, à la surface de la croûte.

Le foyer de la grande majorité des séismes se trouve à moins de 60 km de profondeur. Un tremblement de terre peut aussi naître à 600 km sous la surface de la planète, mais jamais au-delà de 700 km.

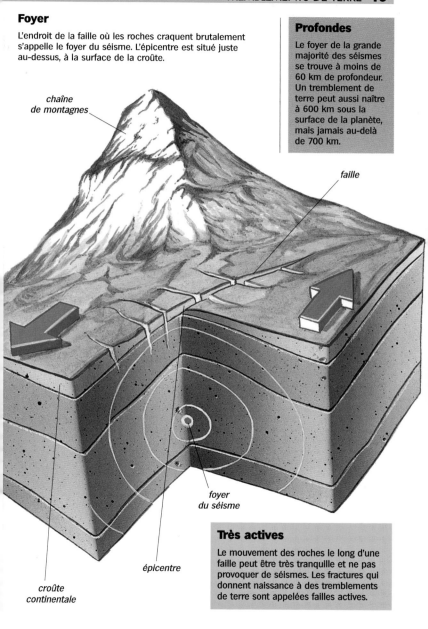

chaîne
de montagnes

faille

foyer
du séisme

épicentre

croûte
continentale

Très actives

Le mouvement des roches le long d'une faille peut être très tranquille et ne pas provoquer de séismes. Les fractures qui donnent naissance à des tremblements de terre sont appelées failles actives.

La tempête sismique

La Terre fournit un gros effort pour casser et faire bouger les roches, elle leur donne beaucoup d'énergie. Un peu trop, d'ailleurs, et elles s'en débarrassent en craquant. L'énergie qu'elles libèrent donne naissance aux ondes sismiques, de véritables vagues rocheuses qui secouent la croûte comme un vieux tapis.

Jeu d'ondes

Jette un caillou à la surface de l'eau. Tu vois apparaître des ronds, de petites vagues en forme de cercles. Elles s'éloignent de l'endroit où la pierre est tombée, en soulevant la surface de l'eau sur leur passage. Ce défilé de vagues voyageuses est une onde.

Le trio infernal

Il existe 3 sortes d'ondes sismiques :

❶ *Les ondes P compriment et dilatent les roches. Un peu comme un ressort !*

❷ *Les ondes S font onduler la croûte de haut en bas.*

❸ *Les ondes de surface (ondes L et R) sont les plus dangereuses. Elles restent toujours tout près de la surface de la Terre. Les unes (ondes L) secouent la croûte de gauche à droite, et les autres (ondes R) jouent à l'accordéon avec elle.*

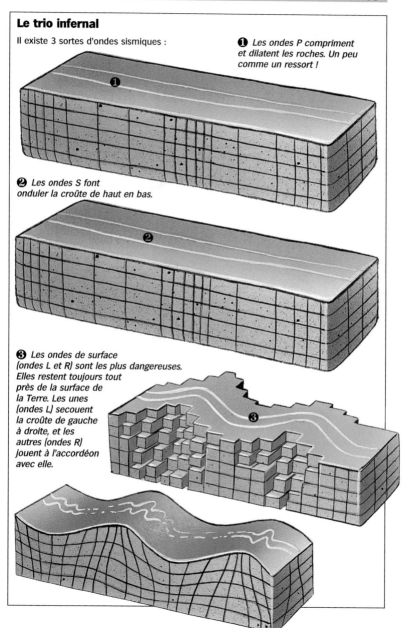

Vous avez un message...

Le sismographe est un appareil qui sert à enregistrer les ondes sismiques. À la moindre secousse, un petit stylet se met en mouvement et trace sur un cylindre des séries de lignes en zigzag. Les géologues et les géophysiciens savent très bien déchiffrer ces drôles d'inscriptions.

Allô, allô ! Ici l'onde...

À chaque tremblement de terre, les scientifiques captent les ondes sismiques et les enregistrent. Elles les renseignent sur l'endroit où a eu lieu le séisme, sur sa profondeur et sa puissance.

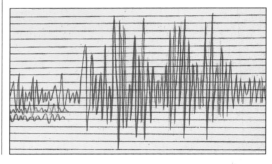

Dragons chinois

L'un des plus vieux sismographes du monde a été fabriqué en Chine, en 132 avant J.-C. Des dragons en métal tiennent une bille dans leur gueule. Ils la lâchent dès que le sol se met à vibrer. Elles tombent dans le gosier de crapauds, en faisant beaucoup de bruit.

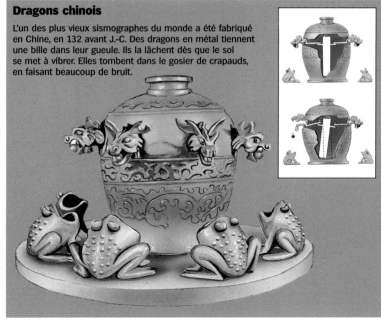

Voyage au centre de la Terre

Personne n'a jamais voyagé jusqu'au cœur de la Terre. Alors, comment pouvons-nous savoir à quoi il ressemble ? Ce n'est pas notre petit doigt qui nous l'a dit, mais les ondes sismiques.

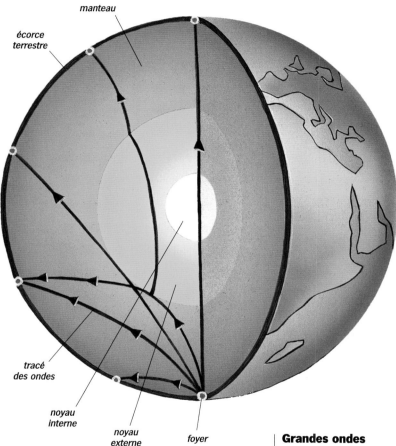

manteau

écorce terrestre

tracé des ondes

noyau interne

noyau externe

foyer

Des ondes très bavardes

Quand elles reviennent à la surface de la Terre, les ondes racontent tout aux sismographes : la longueur de leur trajet, à quelles vitesses elles ont voyagé, les obstacles qu'elles ont pu rencontrer, etc. Grâce à ces informations, les scientifiques ont pu reconstituer l'intérieur de la Terre.

Grandes ondes

Les ondes P et S libérées par la brusque rupture de la roche se promènent partout à travers la planète. Certaines descendent même faire un petit coucou au noyau !

La tectonique des plaques

La solide enveloppe terrestre est un véritable puzzle.
Elle est découpée en plusieurs pièces rigides, de tailles
différentes, qu'on appelle les plaques tectoniques.

Elles bougent tout le temps, elles se frottent les unes
contre les autres, elles se rentrent dedans ou, au contraire,
elles s'écartent. La plupart des tremblements de terre
naissent à leurs frontières.

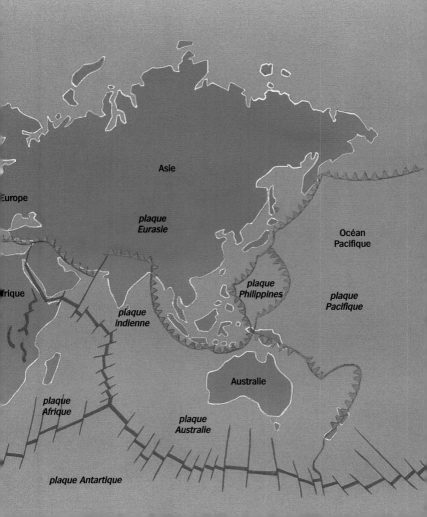

Asie

Europe

plaque
Eurasie

Océan
Pacifique

Afrique

plaque
Philippines

plaque
Pacifique

plaque
indienne

Australie

plaque
Afrique

plaque
Australie

plaque Antartique

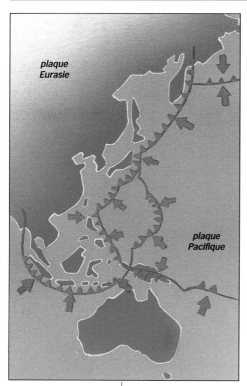

Une croûte torturée

Coincée entre 2 plaques en mouvement, la croûte est soumise à un véritable traitement de choc. Elle se plisse, se fracture et, quand la pression est trop forte, elle peut être réduite en bouillie !

Ça pousse !

La plaque Pacifique et la plaque Eurasie sont écrasées, comprimées l'une contre l'autre. La première a glissé sous la seconde et s'enfonce lentement dans les profondeurs de la planète. C'est la subduction. Les séismes se produisent partout où les plaques s'arc-boutent ainsi les unes contre les autres.

Ça tire !

La plaque Amérique du Sud est séparée de la plaque Afrique par une longue chaîne de volcans sous-marins, la dorsale. Ces volcans vomissent d'énormes quantités de lave, qui repoussent les 2 plaques sur les côtés. Elles s'écartent l'une de l'autre. La dorsale est le siège de nombreux séismes, à l'endroit où la croûte est très fracturée. Ils ont lieu à 1 000, voire 2 000 m sous la surface de la mer, et nous ne les sentons pas.

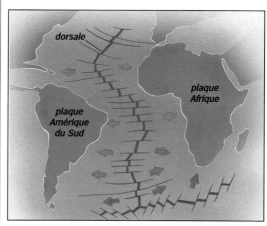

Ça cogne !

Entraînés par le mouvement des plaques, 2 continents peuvent entrer en collision. Il y a des millions d'années, emportée par la plaque indienne, l'Inde a heurté de plein fouet le continent asiatique. À l'endroit de leur violente rencontre s'élève la chaîne de l'Himalaya, siège de grands tremblements de terre.

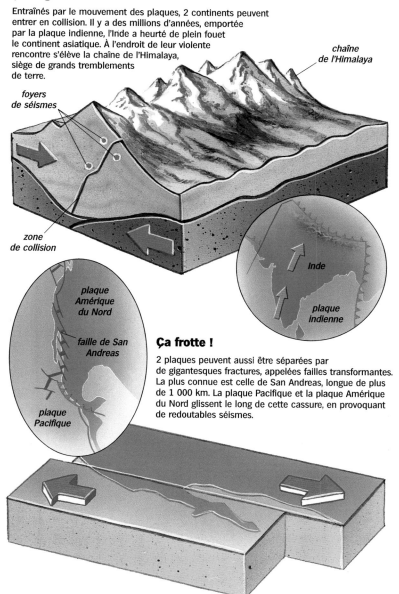

chaîne de l'Himalaya

foyers de séismes

zone de collision

plaque Amérique du Nord

faille de San Andreas

plaque Pacifique

Inde

plaque indienne

Ça frotte !

2 plaques peuvent aussi être séparées par de gigantesques fractures, appelées failles transformantes. La plus connue est celle de San Andreas, longue de plus de 1 000 km. La plaque Pacifique et la plaque Amérique du Nord glissent le long de cette cassure, en provoquant de redoutables séismes.

Un château de cartes

Pendant un séisme, les mouvements de la croûte se transmettent aux constructions. Les plus solides résistent, les autres s'effondrent sur leurs habitants. En Turquie, en août 1999, 30 000 personnes ont péri sous les décombres de leurs maisons.

Le jour où la terre tremble

Les frontières de plaques sont les régions les plus dangereuses du monde. Les risques de tremblements de terre y sont très grands. Pourtant, des centaines de millions d'hommes y vivent. Ils ont construit des villes, des routes, des usines, des ports. Tout va bien, jusqu'au jour où la terre se met à trembler.

Accidents de la route

Les ponts et les routes sont détruits.
En 1989, le séisme de San Francisco a fait 67 victimes.
La plupart étaient des automobilistes, morts écrasés sous les débris de la voie supérieure d'une autoroute.

Au feu !

Les secousses éventrent les conduites de gaz et renversent les réchauds. Le feu peut prendre n'importe où, et des incendies se propagent dans toute la ville. En 1923, à cause des poêles à bois de ses habitants, Tokyo, la capitale du Japon, est presque entièrement partie en cendres.

Privés d'eau

Les canalisations d'eau sont hors service, et les habitants se retrouvent privés d'eau potable. Après le séisme de 1906, un incendie a ravagé la ville de San Francisco pendant 3 jours. Il n'y avait plus d'eau pour l'éteindre !

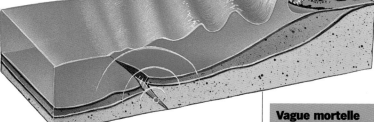

Les tsunamis

Quand la terre se met à trembler, les villes situées en bord de mer doivent faire face à une terrible menace : les tsunamis. Ce sont de gigantesques vagues, hautes parfois de plusieurs dizaines de mètres, qui s'abattent sur les côtes. Elles se forment quand un séisme a lieu sous la mer, ou près des côtes.

Vague mortelle

En 1896, 2 énormes murs d'eau hauts de 25 et de 30 m, nés après un séisme en mer, se sont abattus sur le Japon. 26 000 personnes ont péri noyées.

Quelle énergie !

La quantité d'énergie dégagée par les tremblements de terre en une année égale celle qui est consommée dans le même temps aux États-Unis !

L'échelle de Richter

Chaque fois qu'un séisme a lieu quelque part sur Terre, les géologues lui donnent une note, appelée magnitude. Plus l'énergie libérée par le tremblement de terre est grande, plus cette note est élevée. C'est l'échelle de Richter.

Magnitude et fréquence	
entre 0 et 3	petits séismes : plusieurs millions par an
entre 3 et 4	séismes mineurs : 50 000 par an
entre 4 et 5	séismes légers : plusieurs milliers par an
entre 5 et 6	séismes moyens : plusieurs centaines par an
entre 6 et 7	séismes forts : une centaine par an
entre 7 et 8	séismes majeurs : une dizaine par an
au-delà de 8	séismes géants : une dizaine par siècle

Bonne note

La magnitude peut prendre toutes les valeurs comprises entre 0 et l'infini. En réalité, les séismes dépassent rarement la magnitude 9. Le plus violent jamais enregistré a eu lieu le 22 mai 1960 au Chili. Il avait une magnitude de 9,5.

Petits calculs sismiques

Un tremblement de terre de magnitude 5 dégage autant d'énergie qu'une bombe atomique. Il est pourtant des milliers de fois plus faible qu'un géant de magnitude 9 !

Dégâts et magnitude

Normalement, plus la magnitude d'un séisme est élevée, plus il devrait faire de dégâts. En réalité, sa puissance destructrice dépend aussi de la profondeur de son foyer, de la solidité des constructions et de la nature des roches sur lesquelles elles sont bâties.

Résistance

En décembre 1988, un séisme de magnitude 7,1 faisait 25 000 morts en Arménie. En octobre 1989, San Francisco a été secouée avec la même violence. Mais, comme la plupart des immeubles de cette ville sont conçus pour résister aux secousses, il n'y a eu que quelques dizaines de morts dus, pour la plupart, à l'effondrement d'une voie d'autoroute.

Profondeur

Les tremblements de terre qui se produisent dans les zones de subduction, à plus de 650 km de profondeur, ont parfois des magnitudes très grandes. Mais seuls les sismographes, très sensibles, arrivent à les détecter. Les séismes les plus dévastateurs sont ceux qui naissent tout près de la surface de la Terre.

Géologie

Une maison bâtie sur du granite souffrira moins des tremblements de terre que celle qui a été construite sur des roches tendres, comme le sable ou l'argile. Lors du séisme de 1692, le sous-sol sablonneux de la ville de Port Royal, en Jamaïque, a glissé vers la mer. Il a entraîné avec lui la cité, qui s'est retrouvée à 15 m sous l'eau.

La prévision des séismes

Pour que les séismes ne fassent plus de victimes, il faudrait que des centaines de millions de personnes déménagent ! Bien sûr, c'est impossible. Il vaut mieux prévenir les gens quand un tremblement de terre va avoir lieu, pour qu'ils puissent se mettre à l'abri. Mais c'est plus facile à dire qu'à faire !

Triste ratage

Les Chinois ont réussi à prévoir un séisme, celui du 4 février 1975. Ils ont fait évacuer la population un jour avant, et il n'y a presque pas eu de victimes. Mais ils n'ont pas vu venir celui du 27 juillet 1976 qui a fait des centaines de milliers de morts.

Imprévisibles

Quand tu tires sur un élastique, tu sais qu'il va casser. Mais tu es incapable de dire à quel moment ! Les géologues ont le même problème avec les séismes. Ils connaissent les endroits où ils surviennent, mais ils sont toujours incapables de dire quel jour la terre va trembler, et avec quelle force.

Les mouvements de la faille n'échappent pas à l'œil laser du géodimètre.

Le niveau de l'eau dans un puits peut changer avant un séisme.

Trouver la faille

Les géologues cherchent à localiser les failles où naissent les tremblements de terre, pour pouvoir les surveiller. Mais ils ne trouvent pas toujours : celle qui a provoqué le séisme de Kobe au Japon, en 1995, était une faille jusqu'alors inconnue.

L'extensiomètre sert à mesurer les dilatations et les contractions du sol.

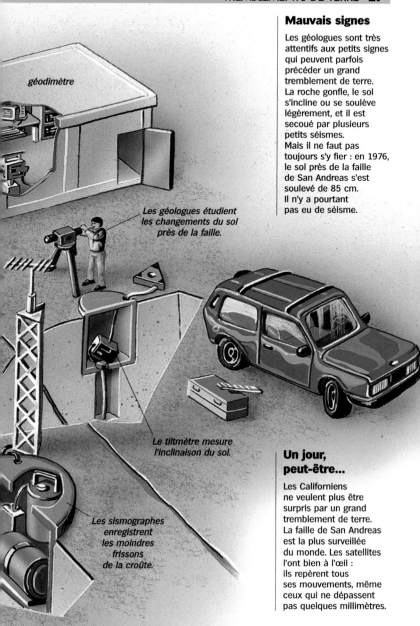

géodimètre

Les géologues étudient
les changements du sol
près de la faille.

Le tiltmètre mesure
l'inclinaison du sol.

Les sismographes
enregistrent
les moindres
frissons
de la croûte.

Mauvais signes

Les géologues sont très attentifs aux petits signes qui peuvent parfois précéder un grand tremblement de terre. La roche gonfle, le sol s'incline ou se soulève légèrement, et il est secoué par plusieurs petits séismes.
Mais il ne faut pas toujours s'y fier : en 1976, le sol près de la faille de San Andreas s'est soulevé de 85 cm.
Il n'y a pourtant pas eu de séisme.

Un jour, peut-être...

Les Californiens ne veulent plus être surpris par un grand tremblement de terre. La faille de San Andreas est la plus surveillée du monde. Les satellites l'ont bien à l'œil : ils repèrent tous ses mouvements, même ceux qui ne dépassent pas quelques millimètres.

Éviter la catastrophe

Les séismes sont des phénomènes aussi naturels que la pluie ou le vent. Ils secouent la Terre depuis la nuit des temps, et il n'y a pas de raison pour que ça cesse. Il nous faut vivre avec eux, mais en nous protégeant et en prenant nos précautions !

Antiséismes

Pour éviter que les immeubles ne s'écroulent à la moindre secousse, il faut les construire suivant des normes précises, appelées parasismiques. Les centrales nucléaires et les barrages, par exemple, sont conçus pour résister aux tremblements de terre.

Trop cher

Les séismes continuent à faire beaucoup de victimes dans les pays pauvres. Leurs habitants n'ont pas les moyens de s'offrir des maisons qui résistent aux secousses.

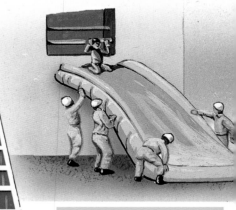

Fausse alerte

Les Japonais sont régulièrement convoqués pour des exercices de simulation d'alerte sismique. Comme ça, le jour où la terre tremblera pour de bon, ils seront prêts à affronter la catastrophe. Et ce dans le calme.

Vivre avec les tremblements de terre

Quelques gestes simples peuvent sauver des vies pendant un tremblement de terre.
Es-tu prêt pour les travaux pratiques ?

Pendant le tremblement de terre

Surtout, ne bouge pas et reste calme.
Si tu es à l'intérieur d'un immeuble ou d'une maison, éloigne-toi des fenêtres et des portes qui donnent sur l'extérieur. Abrite-toi sous une table. Surtout, n'allume aucune flamme, ni bougie, ni briquet, ni allumettes.
Si tu es dehors, dans la rue par exemple, reste à l'air libre. Écarte-toi de tout ce qui peut tomber, ne te mets ni sous des fils électriques, ni sous un balcon. Si tu es dans la cour de l'école, écarte-toi des bâtiments.
Si tu es dans une voiture ou dans un bus, n'en sors pas avant la fin des secousses.

Après les secousses

Si tu es à l'intérieur d'un bâtiment, sors et reste à l'air libre.
Tiens-toi loin des immeubles endommagés. Ils peuvent dégringoler à la moindre réplique.
Éloigne-toi des plages et des zones côtières. Gare au tsunami !
Il faut couper l'eau et le gaz. Si tu sens une odeur de gaz, ça veut dire qu'il y a une fuite.
Il faut alors ouvrir les fenêtres et les portes, et sortir de la maison.
N'allume pas de feu.

Index

a

Afrique	20
Alerte sismique	28
Algonquins	7
Amérique du Nord	7, 21
Amérique du Sud	20
Argile	9, 11, 25
Arménie	25
Asie	21

b

Barrage	28
Basalte	8, 9
Bombe atomique	24

c

Calcaire	9, 10, 11
Californiens	27
Centrale nucléaire	28
Chili	24
Chine	7, 16
Chinois	26
Croûte	8, 9, 10, 11, 12, 13, 14, 15, 20, 22
Croûte continentale	8
Croûte océanique	8

d

Décharge électrique	7
Dégâts	25
Dorsale	20

e

Échelle de Richter	24
Écorce terrestre	8
Énergie	14, 24
Épicentre	13
Eurasie	20

f

Faille de San Andreas	21, 27
Failles	10, 11, 12, 13, 21, 26, 27
Failles actives	13
Failles transformantes	21
Forces	12
Foyer	13, 25

g

Géologues	16, 24, 26, 27
Géophysiciens	16
Graine	8
Granite	9, 10, 11, 25
Grès	9

h

Himalaya	21
Histoire des séismes	6, 7

i

Inde	21

j

Jamaïque	25
Japon	23, 26
Japonais	6, 28

k

Kobe	26

l

Lithosphère	8

m

Magma	9
Magnitude	24, 25
Mainas	6

Manteau	8
Manteau inférieur	8
Manteau supérieur	8
Marbre	9
Mongolie	7

n

Naissance d'un séisme	12
Noyau	8, 17
Noyau externe	8
Noyau interne	8

o

Ondes sismiques	14, 15, 16, 17
Ondes de surface	15
Ondes L	15
Ondes P	14, 15, 17
Ondes R	15
Ondes S	15, 17

p

Pacifique (plaque)	20, 21
Parasismiques (normes)	28
Pérou	6
Plaque indienne	21
Plaques tectoniques	18, 19, 20
Plaques (frontières)	19, 22
Plis	10, 11
Port Royal	25
Prévision	26, 27
Protection	28, 29

r

Réplique	29
Risques	22, 23
Roches plutoniques	9
Roches métamorphiques	9

Roches sédimentaires	9
Roches volcaniques	9

s

Sable	25
San Francisco	22, 23, 25
Satellite	27
Schiste	9
Siège des séismes	20, 21
Sismographe	16, 17, 25
Subduction	20, 25

t

Tectonique des plaques	18, 19
Tokyo	23
Tsunamis	23, 29
Turquie	22

v

Volcan	8, 9, 20
Volcans sous-marins	8, 20

**Activités et identification, la nature est pleine d'idées,
et tes carnets pleins d'inventions.**

Dans la même collection

1 Fleurs des montagnes
2 Arbres d'Europe
3 Oiseaux des jardins
4 Traces et empreintes
5 Engins flottants
6 Cabanes et abris
7 La météo
8 L'orientation
9 Le secourisme
10 Petites bêtes de la campagne
11 Champignons des bois
et des prés
12 Oiseaux des montagnes
13 Étoiles et planètes
14 Nichoirs et mangeoires
15 Feux et cuisine
16 Poissons d'eau douce
17 Fossiles d'Europe
18 Reptiles d'Europe
19 Messages secrets
20 Luges, traîneaux
et raquettes
21 Mammifères des montagnes
22 Oiseaux du bord de mer
23 Les arbustes
et leurs secrets
24 Avoir un chien
25 Jouets des bois
et des champs
26 Roches et minéraux
27 Mammifères des bois
et des champs
28 Oiseaux des rivières
et des étangs
29 Fleurs des champs

30 Aquariums
31 Le jardinage – Les légumes
32 Le jardinage – Les fleurs
33 Meubler sa cabane
34 Élever des petites bêtes
35 Poissons de mer
36 Fleurs des bois
37 Arbres des villes
et des jardins
38 Mon chat
39 Mon cochon d'Inde
40 Les chiens
41 Objets volants
42 Engins roulants
43 La pêche en eau douce
44 Petites bêtes des rivières
et des étangs
45 Les dinosaures
et leurs cousins
46 Mammifères marins
47 Les chats
48 Poneys et chevaux
49 Les requins
50 Petites bêtes
du bord de mer
51 Mobiles
52 Plantes méditerranéennes
53 Les vaches
54 Les félins
55 Fleurs d'eau douce
56 Jouets de la campagne
57 Découvrir le bord de mer
58 Le jardinage –
Les plantes d'intérieur
59 Les nœuds

60 Petites bêtes
des montagnes
61 Les singes
62 Les animaux de la ferme
63 Avoir un poney
64 Papillons et chenilles
65 Plantes agricoles
66 Musique en herbe
67 Arbres fruitiers
68 Poissons d'aquarium
69 La ruche
70 Herbiers et fleurs séchées
71 Les volcans
72 Bijoux et créations nature
73 Tremblements de terre
74 Déguisements nature
75 La vigne
76 Petites bêtes
de la maison
77 Un hamster à la maison
78 Tempêtes et cyclones
79 Jeux de plein air
80 Comètes et météorites
81 L'archéologie
82 La fourmilière
83 Plantes carnivores
84 L'eau
85 Animaux en danger
86 Le corps humain
87 Les rapaces
88 Des oiseaux à la maison
89 Petites bêtes des jardins
90 Sur les traces des dinosaures
91 L'Univers
92 La planète Mars

© 1995 Éditions MILAN pour la première édition
© 2006 Éditions MILAN pour la présente édition
300, rue Léon-Joulin, 31101 Toulouse Cedex 9, France.
Droits de traduction et de reproduction réservés pour tous les pays.
Toute reproduction, même partielle, de cet ouvrage est interdite.
Une copie ou reproduction par quelque procédé que ce soit, photographie, microfilm,
bande magnétique, disque ou autre, constitue une contrefaçon passible des peines prévues
par la loi du 11-mars 1957 sur la protection des droits d'auteur.
Loi 49.956 du 16.07.1949
ISBN : 978.2.7459.2441.4
Dépôt légal : 1er trimestre 2007
Imprimé en Italie par Canale